A arte de ter razão

Dados Internacionais de Catalogação na Publicação (CIP)
(Câmara Brasileira do Livro, SP, Brasil)

Schopenhauer, Arthur, 1788-1860
A arte de ter razão : 38 estratagemas / Arthur Schopenhauer ; tradução de Milton Camargo Mota. – Petrópolis, RJ : Vozes, 2017. – (Vozes de Bolso)

Título original : Die Kunst, Recht zu behalten

10ª reimpressão, 2024.

ISBN 978-85-326-5580-6
1. Filosofia alemã I. Título. II. Série.

17-07388 CDD-193

Índices para catálogo sistemático:
1. Filosofia alemã   193

Arthur Schopenhauer

A arte de ter razão

38 estratagemas

Tradução de Milton Camargo Mota

Vozes de Bolso

Tradução realizada a partir do original em alemão intitulado
Die Kunst, Recht zu behalten
Traduzido a partir da edição da Semanticscholar.org, 2008.

© desta tradução:
2017, Editora Vozes Ltda.
Rua Frei Luís, 100
25689-900 Petrópolis, RJ
www.vozes.com.br
Brasil

Todos os direitos reservados. Nenhuma parte desta obra
poderá ser reproduzida ou transmitida por qualquer forma e/ou
quaisquer meios (eletrônico ou mecânico, incluindo fotocópia e
gravação) ou arquivada em qualquer sistema ou banco de dados
sem permissão escrita da editora.

CONSELHO EDITORIAL	PRODUÇÃO EDITORIAL
Diretor Volney J. Berkenbrock	Aline L.R. de Barros Marcelo Telles Mirela de Oliveira
Editores Aline dos Santos Carneiro Edrian Josué Pasini Marilac Loraine Oleniki Welder Lancieri Marchini	Otaviano M. Cunha Rafael de Oliveira Samuel Rezende Vanessa Luz Verônica M. Guedes
Conselheiros Elói Dionísio Piva Francisco Morás Gilberto Gonçalves Garcia Ludovico Garmus Teobaldo Heidemann	**Conselho de projetos editoriais** Isabelle Theodora R.S. Martins Luísa Ramos M. Lorenzi Natália França Priscilla A.F. Alves

Secretário executivo
Leonardo A.R.T. dos Santos

Editoração: Leonardo A.R.T. dos Santos
Diagramação: Sheilandre Desenv. Gráfico
Revisão gráfica: Nilton Braz da Rocha
Capa: visiva.com.br
Arte-finalização de capa: Ygor Moretti
Ilustração de capa: ©Songchai W | Shutterstock

ISBN 978-85-326-5580-6

Este livro foi composto e impresso pela Editora Vozes Ltda.

Sumário

A dialética erística, 7

Base de toda a dialética, 17

38 estratagemas, 19
    Estratagema 1, 19
    Estratagema 2, 21
    Estratagema 3, 22
    Estratagema 4, 24
    Estratagema 5, 24
    Estratagema 6, 25
    Estratagema 7, 25
    Estratagema 8, 26
    Estratagema 9, 26
    Estratagema 10, 26
    Estratagema 11, 27
    Estratagema 12, 27
    Estratagema 13, 28
    Estratagema 14, 28
    Estratagema 15, 29
    Estratagema 16, 29
    Estratagema 17, 30
    Estratagema 18, 30
    Estratagema 19, 30
    Estratagema 20, 31

Estratagema 21, 31

Estratagema 22, 31

Estratagema 23, 31

Estratagema 24, 32

Estratagema 25, 32

Estratagema 26, 33

Estratagema 27, 33

Estratagema 28, 34

Estratagema 29, 35

Estratagema 30, 36

Estratagema 31, 40

Estratagema 32, 41

Estratagema 33, 41

Estratagema 34, 42

Estratagema 35, 42

Estratagema 36, 43

Estratagema 37, 46

Último estratagema, 46

Apêndice, 51

Notas, 55

A dialética erística

A dialética erística[1] é a arte de disputar, mais precisamente, de disputar de modo a ter a razão *per fas et nefas* [por meios lícitos e ilícitos][2]. Com efeito, podemos ter razão *objetiva*, na coisa em si, mas estar errados aos olhos das pessoas presentes, às vezes até mesmo aos nossos próprios olhos. O adversário pode refutar minha prova, o que vale como refutação de minha própria asserção, para a qual, entretanto, pode haver outras provas; neste caso, é claro, a relação é inversa para o adversário: ele detém a razão, mas está objetivamente errado. Portanto, a verdade objetiva de uma proposição e sua validade na aprovação dos debatedores e ouvintes são duas coisas distintas. (É para esta última que a dialética se volta.)

E a que se deve isso? – À perversidade natural da raça humana. Se não fosse isso, se fôssemos essencialmente honestos, não buscaríamos em cada debate senão trazer a verdade à luz, totalmente despreocupados se ela está em conformidade com nossa opinião previamente apresentada ou com a do adversário: isso seria indiferente ou, pelo menos, algo completamente secundário. Mas agora é a coisa principal. A vaidade inata, que é particularmente irritável no que diz respeito às faculdades intelectuais, não pretende aceitar que nossa primeira afirmação se revele falsa e a do adversário tenha razão. Por conseguinte, teríamos simplesmente de nos esforçar por emitir juízos corretos: para tanto deveríamos pensar primeiro e falar depois. Mas, na maior parte dos homens, a vaidade inata é acompanhada de loquacidade e inata desonestidade. Falam antes de pensar, e, mesmo quando se dão conta de que sua afirmação é falsa e eles estão errados, é preciso parecer como se fosse o contrário. O interesse na verdade, que deveria ser, em geral, o único motivo na exposição da tese supostamente verdadeira, agora dá lugar, por completo, ao interesse da vaidade: o verdadeiro deve parecer falso e o falso, verdadeiro.

No entanto, até mesmo essa desonestidade, a insistência em uma tese que nos parece falsa a nós próprios, pode ser desculpável: é frequente que no início estejamos firmemente convencidos da verdade de nossa afirmação, mas depois o argumento do adversário parece derrubá-la; se logo abandonamos nossa causa, muitas vezes acabamos por descobrir que realmente tínhamos razão: nossa prova era falsa, mas poderia haver uma boa prova para nossa afirmação: o argumento salvador não nos ocorreu de imediato. Por isso, desenvolve-se em nós a máxima segundo a qual devemos atacar o argumento contrário, mesmo quando este pareça correto e decisivo, na crença de que ele seja apenas aparentemente correto e que, no curso da disputa, encontraremos outro argumento para derrubá-lo ou confirmar nossa verdade de outra maneira. Esse fato quase nos obriga a ser desonestos na disputa, ou ao menos facilmente nos seduz a sê-lo. Assim, a fraqueza de nosso entendimento e a perversidade da nossa vontade se apoiam mutuamente; disso resulta que, em regra geral, quem disputa não luta pela verdade, mas por sua tese, como *pro ara et focis*, e procede *per fas et nefas*, pois, como já mostramos, não pode agir de outro modo.

Em geral, portanto, cada um desejará impor sua afirmação, mesmo quando esta lhe pareça momentaneamente falsa ou duvidosa[3]. As ferramentas para tanto lhe são dadas, em certa medida, por sua própria astúcia e malícia: é o que ensina a experiência diária da disputa. Portanto, cada um tem sua dialética natural, assim como tem sua lógica natural. O único senão é que aquela não o guia tão seguramente quanto esta. Não é tão fácil que alguém pense ou conclua contra as leis lógicas: falsos julgamentos são frequentes, enquanto falsos silogismos são extremamente raros. Por conseguinte, uma pessoa não mostra facilmente falta de lógica natural, mas é provável que demonstre falta de dialética natural. Esta é um dom natural desigualmente distribuído (tal como ocorre com a faculdade do juízo, que é distribuída de modo bastante desigual, enquanto a razão o é, propriamente, de forma equitativa). Pois ocorre com frequência que, mesmo tendo razão, nos deixemos confundir ou refutar por uma argumentação meramente aparente, ou inversamente; e, muitas vezes, quem sai vencedor de uma disputa deve sua vitória não tanto à correção de seu julgamento na exposição de sua tese, mas, antes, à astúcia e habilidade com que a defendeu. Aqui, como em todos os casos, o melhor é o que é inato[4]: mas o exercício, bem como a reflexão sobre as frases com que se derruba o adversário, ou que geralmente usamos para derrubá-lo, podem contribuir bastante para adquirir maestria nessa arte. Desse modo, mesmo que a lógica não possa ter benefícios realmente práticos, a dialética, no entanto, sim. Parece-me também que Aristóteles elaborou sua lógica propriamente dita (a analítica) essencialmente como fundamento e preparação para a dialética e que esta era para ele a coisa mais importante. A lógica se interessa pela mera forma das proposições; a dialética, por seu conteúdo ou matéria: justamente por isso a consideração da forma, isto é, do geral, devia preceder a do conteúdo, isto é, do particular.

Aristóteles não define o propósito da dialética de modo tão preciso como fiz eu: por certo, ele indica o disputar como o objetivo principal, mas, ao mesmo tempo, a busca da verdade (*Tópicos*, I, 2); depois, ele volta a dizer que, filosoficamente tratamos as teses de acordo com a verdade, e dialeticamente de acordo com a aparência ou a aprovação, a opinião dos outros (δοξα), *Tópicos*, I, 12. Sem dúvida, ele está ciente da distinção e separação entre a verdade objetiva de uma proposição e sua imposição ou a obtenção de sua aprovação; ele, contudo, não as distingue com suficiente clareza para designar à dialética somente a última finalidade[5]. Por isso, as regras que ele fornece para este segundo objetivo são, muitas vezes, misturadas com os do primeiro. Parece-me, portanto, que ele não resolveu sua tarefa completamente[6].

Nos *Tópicos*, Aristóteles dedicou-se, com o espírito científico que lhe é próprio, à exposição da dialética de maneira extremamente metódica e sistemática, o que merece admiração, ainda que o objetivo, que aqui é obviamente prático, não tenha sido realmente alcançado. Depois de ter examinado nos *Analíticos* os conceitos, juízos e conclusões de acordo com sua forma pura, ele se volta para o conteúdo, que tem a ver propriamente apenas com os conceitos, pois é neste que ele se encontra. Proposições e conclusões são, em si, apenas meras formas, os conceitos são seu conteúdo[7]. – Seu modo de proceder é o seguinte: toda disputa tem uma *tese* ou problema (que diferem apenas na forma) e, em seguida, proposições que se destinam a resolvê-los. Trata-se sempre da relação dos conceitos entre si. Essas relações são, inicialmente, quatro. Pois no que tange a um conceito buscamos ou 1) sua definição ou

2) seu gênero ou 3) seu elemento peculiar, sua característica essencial, o *proprium*, o *idion* ou 4) seu *accidens*, isto é, uma propriedade qualquer, não importa se peculiar e exclusiva ou não, em suma, um predicado. É a uma dessas relações que se deve remeter o problema de toda disputa. Esta é a base de toda a dialética. Nos oito livros dos *Tópicos*, Aristóteles estabelece todas as relações que os conceitos podem ter entre si sob esses quatro aspectos e fornece as regras para cada relação possível, a saber, como um conceito deve se comportar para com o outro para ser seu *proprium*, seu *accidens*, seu *genus*, seu *definitum* ou definição: quais erros são facilmente cometidos na exposição e o que devemos observar cada vez que nós mesmos estabelecemos tal relação (κατασκεναζειν) e o que podemos fazer, depois que o outro a estabeleceu, para derrubá-la (ανασχευαζειν). Ele chama de τοπος, *locus*, a apresentação de cada uma dessas regras ou de qualquer de tais relações gerais daqueles conceitos-classe entre si e fornece 382 de tais τοποι: daí *Tópicos*. A isso ele acrescenta algumas regras gerais sobre a disputa em geral, que, no entanto, estão longe de ser exaustivas.

O *topos*, portanto, não é puramente material, nem se refere a um determinado objeto ou conceito; ele sempre se refere a uma relação entre classes inteiras de conceitos, relação esta que pode ser comum a inúmeros conceitos tão logo possam ser considerados sob uma dos quatro aspectos mencionados acima, o que ocorre em qualquer disputa. E esses quatro aspectos têm, por sua vez, subclasses. Portanto, o tratamento aqui é ainda em certa medida formal, mas não tão puramente formal como na lógica, pois ele se ocupa do conteúdo dos conceitos, mas de uma maneira formal, indicando como o conteúdo do conceito A deve se comportar em relação ao do conceito B para que este possa ser apresentado como seu *genus* ou seu *proprium* (característica) ou seu *accidens* ou sua definição, ou segundo as rubricas, que lhes são subordinadas, de oposição (αντικειμεον), causa e efeito, propriedade e ausência e assim por diante. É em torno de tal relação que deve girar toda disputa. A maioria das regras indicadas por ele a respeito dessas relações, designadas justamente como *topoi*, são aquelas que residem na natureza das relações entre conceitos, das quais cada pessoa é consciente por si mesma, exigindo também sua observância pelo adversário, tal como na lógica; e é mais fácil no caso particular seguir tais regras ou notar o descuido para com elas do que lembrar-se do *topos* abstrato a seu respeito: precisamente por isso a utilidade prática dessa dialética não é grande. Ele diz quase sempre apenas coisas que se entendem por si mesmas e que o bom-senso chega a considerar por si só. Exemplos: "Quando se afirma o *genus* de uma coisa, deve-se também atribuir-lhe uma *species* qualquer desse *genus*; senão, a afirmação é falsa. Por exemplo, afirma-se que a alma tem movimento; é preciso, portanto, que um tipo particular de movimento lhe seja próprio, o voo, a marcha, o crescimento, o decréscimo etc. – se não é assim, ela não tem movimento. Portanto, aquilo a que não se atribui *species* também não se atribui *genus*: eis o *topos*". Esse *topos* serve para erguer e para derrubar. É o nono *topos*. E, inversamente, se não se atribui *genus*, tampouco *species*. Por exemplo, alguém teria (afirma-se) falado mal de outra pessoa: se provamos que ele não falou absolutamente nada, então também não falou mal: pois onde não há *genus* também não pode haver *species*. Sob a rubrica do que é próprio, do *proprium*, o *locus* 215 diz: "Em primeiro lugar, para derrubar: se o adversário indica como próprio algo que se pode perceber apenas pelos sentidos, isso está mal indicado, pois tudo que é sensível torna-se incerto assim que sai do campo dos sentidos. Por exemplo, ele aponta como próprio do Sol que este é a estrela mais brilhante a passar sobre a Terra, o que não vale nada: porque, após o Sol se pôr, nós não sabemos se ele passa sobre a Terra, pois, então, se encontra fora do alcance dos sentidos. Em segundo, para erguer: o elemento próprio é corretamente indicado quando se estabelece algo que não seja reconhecido pelos sentidos ou, quando o é, que esteja necessariamente presente. Por exemplo, indica-se como próprio da superfície que ela é primeiramente colorida; por certo, isto é uma característica sensível, mas uma que está evidentemente sempre presente, portanto, é correta". – Isso é o quanto basta para dar uma ideia da dialética de Aristóteles. Ela não me parece atingir o objetivo, motivo pelo qual tentei buscá-lo de modo diverso. Os *Tópicos* de Cícero são uma imitação extremamente rasa e pobre de Aristóteles, feita de memória; Cícero não tem absolutamente nenhuma ideia clara do que é, ou a que visa, um *topus*; ele, então, recolhe *ex ingenio* [por livre invenção] e desordenadamente todos os tipos de materiais e os adorna com abundantes exemplos jurídicos. Um de seus piores escritos.

Para uma formulação límpida da dialética, é preciso, sem preocupação com a verdade objetiva (que é objeto da lógica), encará-la unicamente como a arte de ter razão, o que obviamente será tanto mais fácil quando se tem razão objetivamente. Mas a dialética, como tal, deve apenas ensinar como nos defendermos contra ataques de todos os tipos, especialmente contra os desonestos, e igualmente como nós mesmos podemos atacar o que o outro afirma, sem nos contradizermos e, sobretudo, sem sermos refutados. É preciso separar claramente a descoberta da verdade objetiva da arte de fazer passar por válidas nossas teses: aquela é assunto de uma πραγματεία [atividade] totalmente diferente, é a obra da faculdade de julgar, de reflexão, experiência, e não há arte especial para isso; mas a segunda é o propósito da dialética. Ela já foi definida como a lógica da aparência, o que é falso, pois, neste caso, ela serviria apenas para a defesa de teses falsas. No entanto, mesmo quando temos razão, precisamos da dialética para defendê-la e precisamos conhecer os artifícios desonestos para nos opormos a eles; na verdade, muitas vezes até mesmo precisamos deles para vencer o adversário com as mesmas armas. Por esse motivo, a dialética deve pôr a verdade objetiva de lado ou considerá-la acidental; e devemos nos preocupar apenas em defender nossas afirmações e derrubar as do outro. Nas regras a esse respeito, a verdade objetiva não deve ser levada em conta, porque na maioria das vezes não se sabe onde ela se encontra[8]: com frequência, nós mesmos não sabemos se temos ou não razão, muitas vezes acreditamos ter, mas nos enganamos; muitas vezes, ambas as partes acreditam ter razão: pois *veritas est in puteo* [A verdade está nas profundidades] (ἐν βυθῷ ἡ ἀλήθεια, Demócrito); quando surge a disputa, geralmente todos acreditam ter a verdade do seu lado: em seguida, ambos passam a duvidar e é somente no final que a verdade é revelada, confirmada. Portanto, a dialética não deve se envolver com esta última, tal como o mestre de esgrima não considera quem tinha realmente razão na disputa que provocou o duelo: golpear e aparar, isso é o que importa. O mesmo vale na dialética: é uma esgrima intelectual; somente se concebida de forma assim tão clara, ela pode se estabelecer como disciplina própria. Se lhe atribuímos como finalidade a verdade objetiva pura, retornaremos à mera lógica; se, por outro lado, fixamos como sua finalidade a demonstração de teses falsas, teremos a pura sofística. E, tanto num caso como no outro, estaria pressuposto que já sabíamos o que é objetivamente verdadeiro e falso, mas é raro que o saibamos com certeza de antemão. O verdadeiro conceito de dialética é, portanto, o já estabelecido: esgrima intelectual para ter razão na disputa, embora o nome erística seja mais apropriado, e o mais correto ainda provavelmente seja dialética erística: *dialectica eristica*. E ela é bastante útil: foi injustamente negligenciada em tempos mais recentes.

Nesse sentido, a dialética deve ser apenas um resumo e descrição – reduzidos a sistema e regras – daquelas técnicas inspiradas pela natureza e que a maioria das pessoas emprega para manter a razão quando percebe que a verdade não está do seu lado na disputa. Por isso seria bastante inoportuno, no domínio da dialética científica, querer dar atenção à verdade objetiva e à sua revelação, pois não é isso o que acontece naquela dialética original e natural, cujo objetivo é simplesmente ter razão. A dialética científica em nosso sentido tem, portanto, como tarefa principal expor e analisar aqueles estratagemas da desonestidade na disputa para que, em debates reais, possamos reconhecê-los de imediato e destruí-los. É por esse motivo mesmo que ela, em sua exposição, deve declaradamente assumir como fim último apenas o ter razão, não a verdade objetiva.

Embora tenha pesquisado por toda a parte, não tenho conhecimento de que algo tenha sido feito nesse sentido[9]: trata-se ainda de um terreno virgem. Para atingir essa meta, deveríamos haurir da experiência, observar como, nos debates que ocorrem com frequência entre nós, este ou aquele estratagema é aplicado por uma e outra partes e, em seguida, reduzir a um princípio geral esses estratagemas recorrentes sob outras formas e assim expor certos *stratagemata* gerais, que seriam úteis tanto para nosso próprio uso como para os destruirmos quando usados por outro.

O que se segue deve ser visto como uma primeira tentativa.

Base de toda a dialética

Antes de tudo, é preciso considerar o essencial de qualquer disputa, o que realmente acontece.

O adversário (ou nós mesmos, tanto faz) apresentou uma tese. Para refutá-la, existem dois modos e duas vias.

1) Os modos: a) *ad rem*, b) *ad hominem* ou *ex concessis*: isto é, nós mostramos que a tese não concorda ou com a natureza das coisas, com a verdade objetiva absoluta; ou com outras afirmações ou concessões do oponente, isto é, com a verdade subjetiva relativa. Esta última é apenas uma demonstração relativa e não tem nada a ver com a verdade objetiva.

2) As vias: a) refutação direta, b) indireta. – A refutação direta ataca a tese em seus fundamentos; a indireta, em suas consequências: a direta mostra que a tese não é verdadeira, a indireta, que ela pode não ser verdadeira. a) No caso da refutação direta, temos dois procedimentos. Ou mostramos que os fundamentos de sua afirmação são falsos (*nego majorem*; *minorem*), ou admitimos os fundamentos, mas mostramos que a afirmação não se segue deles (*nego consequentiam*); isto é, atacamos a consequência, a forma da inferência. Na refutação indireta, usamos a apagogia ou instância.

a) Apagogia: aceitamos a proposição adversária como verdadeira; em seguida, mostramos o que se segue dela quando, em conexão com qualquer outra proposição reconhecida como verdadeira, a utilizamos como premissa para um silogismo do qual surge uma conclusão manifestamente falsa, porque contradiz ou a natureza das coisas[10], ou as outras afirmações do próprio adversário, sendo, portanto, falsa *ad rem* ou *ad hominem* (Sócrates em *Hípias maior* e outros lugares): consequentemente, a proposição também era falsa, pois de premissas verdadeiras só se podem seguir proposições verdadeiras, embora de premissas falsas nem sempre se seguem proposições falsas.

b) A instância, ενστασις, *exemplum in contrarium*: refutação da tese geral por demonstração direta de alguns casos compreendidos em sua enunciação para os quais a tese não se aplica, de sorte que ela própria deve ser falsa.

Esta é a estrutura básica, o esqueleto de toda disputa: temos, portanto, sua osteologia. Pois, no fundo, a isto se reduz toda disputa: embora tudo isso possa ocorrer efetivamente ou apenas em aparência, com razões autênticas ou inautênticas. E, como não se pode determinar algo com segurança a esse respeito, os debates são tão longos e renitentes. Tampouco se pode separar o verdadeiro do aparente quando se trata de passar instruções, porque nem mesmo os debatedores estão certos sobre isso com antecipação. Por isso, ofereço os estratagemas sem considerar se temos ou não razão objetiva, porque nem mesmo nós podemos saber disso com certeza, sendo algo que se deve determinar por meio da disputa. De resto, devemos, em toda disputa ou argumentação em geral, estar de acordo sobre alguma coisa, que tomamos como princípio para julgarmos a questão debatida: *Contra negantem principia non est disputandum.* [Não se discute com quem nega os princípios.]

38 estratagemas

Estratagema 1

A ampliação. Levar a afirmação do inimigo para além de seus limites naturais, interpretá-la do modo mais geral possível, tomá-la no sentido mais amplo possível e exagerá-la; a nossa própria, ao contrário, no sentido mais limitado possível, circunscrevendo-a aos limites mais estreitos possíveis: pois quanto mais geral se torna uma afirmação, tanto mais exposta a ataques. O antídoto é a formulação exata dos *puncti* ou *status controversiae*.

Exemplo 1: Eu disse: "Os ingleses são a primeira nação na arte dramática". – O adversário pretendeu intentar uma *instantia* e respondeu: "Sabe-se que na música e, portanto, na ópera, eles não lograram nada". – Eu rebati, lembrando que "a música não está compreendida na arte dramática, que designa apenas a tragédia e a comédia", coisa que ele sabia muito bem e estava apenas tentando generalizar minha afirmação de modo a abarcar todas as representações teatrais, consequentemente a ópera, a música, para então vencer-me com segurança. Inversamente, para salvar nossa própria afirmação, nós a restringimos a limites mais estreitos do que intencionamos primeiramente, se a expressão usada o permitir.

Exemplo 2: A diz: "A paz de 1814 também restituiu a independência a todas as cidades hanseáticas alemãs". – B fornece a *instantia in contrarium* de que Danzig, com essa paz, perdeu a independência que Bonaparte lhe concedera. – A se salva do seguinte modo: "Eu disse 'todas as cidades hanseáticas alemãs', Danzig era uma cidade hanseática polonesa". Esse estratagema já é ensinado por Aristóteles (*Tópicos*, VIII, 12, 11).

Exemplo 3: Lamarck (Filosofia zoológica) nega aos pólipos qualquer sensação, porque eles não têm nervos. Mas é certo que eles percebem, porque seguem a luz ao avançar engenhosamente de galho em galho; e apanham suas presas. Por isso, assumiu-se que a massa nervosa neles está uniformemente distribuída na massa de todo o corpo, fundida nela, por assim dizer: pois eles têm percepções sem órgãos sensíveis separados. Como isto derruba sua hipótese, Lamarck argumenta dialeticamente da seguinte maneira: "Então todas as partes do corpo do pólipo deveriam ser capazes de todo tipo de sensação, e também de movimento, de vontade, de pensamento: Então o pólipo teria em todos os pontos de seu corpo todos os órgãos do animal mais perfeito: cada ponto poderia ver, sentir cheiro, gosto, ouvir etc., até mesmo pensar, julgar, inferir: cada partícula de seu corpo seria um animal perfeito, e o próprio pólipo estaria acima do homem, porque qualquer de suas partículas teria todas as faculdades que o homem tem apenas em sua totalidade. – Além disso, não haveria nenhuma razão para não estender o que se afirma sobre os pólipos também à mônada, o mais imperfeito de todos os seres, e, finalmente, às plantas, que também são viventes, e assim por diante". – Pelo uso de tais estratagemas dialéticos, um escritor revela a íntima consciência de estar errado. Porque se afirmou "todo seu corpo é sensível à luz, sendo, portanto, de natureza nervosa", ele conclui que o corpo inteiro pensa.

Estratagema 2

Usar a homonímia para estender a afirmação apresentada também àquilo que, excetuando a palavra similar, tem pouco ou nada em comum com a coisa em questão, depois refutá-la luminosamente dando a impressão de ter refutado a afirmação.

Nota: Sinônimos são duas palavras para o mesmo conceito; homônimos, dois conceitos que são designados pela mesma palavra (cf. Aristóteles, *Tópicos*, I, 13). Profundo, cortante, alto, ora usados para corpos, ora para sons, são homônimos. Honrado e honesto são sinônimos.

Pode-se considerar esse estratagema idêntico ao *sophisma ex homonymia*: No entanto, o sofisma evidente da homonímia nunca enganará a sério.

> *Omne lumen potest extingui*
> *Intellectus est lumen*
> *Intellectus potest extingui.*

> [Toda luz pode se extinguir,
> O intelecto é luz,
> O intelecto pode se extinguir.]

Aqui logo se nota que há quatro *termini*: *lumen* entendido no sentido próprio, e *lumen*, no sentido figurado. Mas em casos sutis o sofisma engana, a saber, quando os conceitos designados pela mesma expressão são aparentados e se sobrepõem.

Exemplo 1[11]. A: "Você ainda não foi iniciado nos mistérios da filosofia kantiana".

B. "Oh, não quero saber de nada que envolva mistérios".

Exemplo 2: Eu critiquei como irracional o princípio da honra segundo o qual a pessoa se torna desonrada por uma ofensa recebida, a menos que a retribua com uma ofensa maior, ou a lave com sangue, do inimigo ou seu próprio; como razão para isso, eu argumentei que a verdadeira honra não pode ser ferida por aquilo que se sofre, mas apenas por aquilo que se faz, pois qualquer coisa pode ocorrer a qualquer um. – O adversário atacou diretamente essa razão: ele me mostrou de maneira luminosa que, quando se acusa em falso um comerciante de logro, desonestidade, ou negligência em seus negócios, isto seria um ataque à sua honra, que foi ferida aqui meramente pelo que ele estava sofrendo e que ele só poderia restaurar fazendo punir tal agressor ou levando-o a retratar-se.

Aqui, portanto, ele suplantou, por homonímia, a honra civil, que é conhecida de outra maneira por "bom nome" e que pode ser ferida por difamação, pelo conceito de honra cavalheiresca, que também se chama *point d'honneur* e que é ferida por injúrias. E, porque um ataque à primeira não pode ser ignorado, mas deve ser repelido por refutação pública, é com o mesmo direito que não se pode deixar passar um ataque à última, mas rechaçá-lo por um insulto maior e um duelo. – Ou seja, houve uma mistura de duas coisas essencialmente diferentes pela homonímia da palavra "honra" e, assim, uma *controversiae mutatio* [mudança da questão do debate] causada pela homonímia.

Estratagema 3

Tomar a afirmação[12] apresentada de modo relativo, κατά τι, como se fosse apresentada de modo geral, *simpliciter*, ἁπλῶς, absoluto, ou pelo menos concebê-la numa relação totalmente diferente, e, em seguida, refutá-la neste sentido. O exemplo de Aristóteles é: o mouro é preto, mas, quanto aos dentes, é branco; então ele é preto e não preto, ao mesmo tempo. – Esse é um exemplo inventado que não engana ninguém. Tomemos um da experiência real.

Numa conversa sobre filosofia, admiti que meu sistema protege e louva os quietistas. – Logo depois se passou a falar de Hegel, e eu afirmei que ele, em grande parte, havia escrito coisas absurdas; ou que pelo menos em muitas passagens de seus escritos o autor põe as palavras e o leitor põe o sentido. – O adversário não tentou refutar isso *ad rem*, mas se contentou em apresentar o argumento *ad hominem* dizendo que eu tinha acabado de elogiar os quietistas e eles também haviam escrito um monte de absurdos. Eu admiti isso, mas corrigi meu adversário dizendo que eu não elogiei os quietistas como filósofos e escritores, isto é, não por causa de suas realizações teóricas, mas apenas como pessoas, por causa de suas ações, apenas em termos práticos, mas, no caso de Hegel, falava-se de realizações teóricas. – Foi assim que aparei o ataque.

Os três primeiros estratagemas são relacionados: eles têm em comum o fato de que o adversário fala, na realidade, de algo diferente do que foi exposto; portanto, incorreríamos em *ignoratio elenchi* [ignorância dos meios de refutação], se nos deixássemos despachar dessa maneira. – Pois em todos os exemplos expostos, o que o adversário diz é verdadeiro: mas não está em contradição real, mas apenas aparente, com a tese. Assim, quem é atacado por ele nega as consequências da sua conclusão: ou seja, que da verdade de sua tese se siga a falsidade da nossa. Trata-se, portanto, de uma refutação direta de sua refutação *per negationem consequentiae*. Não admitir premissas verdadeiras porque se prevê a consequência. Contra isso, há a seguir dois meios: Regras 4 e 5.

Estratagema 4

Quando se quer chegar a uma conclusão não se deve deixar que ela seja prevista, mas sim que as premissas sejam inadvertidamente admitidas uma a uma e de forma dispersa na conversação, caso contrário, o adversário tentará todos os tipos de chicana; ou se há dúvida de que o inimigo irá admiti-las, é preciso apresentar as premissas dessas premissas, estabelecer pró-silogismos, fazer que sejam admitidas as premissas de vários de tais pró-silogismos sem ordem entre si, escondendo o jogo até que seja admitido tudo o que seja necessário. Assim se chega à questão partindo de longe. Estas regras são dadas por Aristóteles (*Tópicos*, VIII, 1). Não há necessidade de exemplo.

Estratagema 5[13]

Para provar nossa tese, também podemos utilizar premissas falsas, caso o adversário não admita as verdadeiras, seja porque ele não percebe sua verdade, seja porque ele vê que a tese se seguiria delas imediatamente: então tomamos proposições que são falsas em si, mas verdadeiras *ad hominem* e argumentamos a partir do modo de pensar do adversário *ex concessis*. Pois a verdade também pode resultar de falsas premissas, mas jamais o falso de premissas verdadeiras. De igual modo, podemos refutar proposições falsas do adversário por meio de outras proposições falsas, que ele, entretanto, considera verdadeiras: pois é com ele que estamos lidando e devemos usar sua maneira de pensar. Por exemplo, se ele é um seguidor de alguma seita com que não concordamos, podemos usar contra ele as máximas dessa seita como *principia* (Aristóteles, *Tópicos*, VIII, 9).

Estratagema 6

Faz-se uma *petitio principii* oculta postulando aquilo que teria de ser provado, ou 1) com um nome diferente, por exemplo, bom nome em vez de honra, virtude em vez de virgindade etc.; também conceitos intercambiáveis, como, por exemplo, animais de sangue vermelho em vez de vertebrados; ou 2) fazendo admitir no geral o que é controverso no caso particular, por exemplo, afirmar a incerteza da medicina postulando a incerteza de todo o conhecimento humano; 3) quando *vice versa* duas coisas se seguem uma da outra, e se deve provar uma, então se postula a outra; 4) quando se deve provar o geral e se faz que cada um dos particulares seja admitido (o inverso do n. 2) (Aristóteles, *Tópicos*, VIII, 11). O capítulo final dos *Tópicos* de Aristóteles contém boas regras para o exercício da dialética.

Estratagema 7

Quando a disputa é conduzida com certo rigor e formalidade e há pretensão de se fazer entender muito claramente, aquele que apresentou a afirmação e deve prová-la procede interrogativamente contra seu adversário para inferir a verdade da afirmação a partir das próprias concessões dele. Esse método erotemático era particularmente usado entre os antigos (é também chamado método socrático). É a ele que se referem este estratagema e alguns outros a seguir (todos elaborados livremente com base em *Liber de elenchis sophisticis*, 15, de Aristóteles).

Perguntar muitas coisas de uma só vez e em detalhes para ocultar aquilo que realmente se quer que seja admitido e, por outro lado, apresentar rapidamente a argumentação resultante do que foi admitido, porque os que são lentos em compreender não podem seguir com precisão e não percebem os eventuais erros ou lacunas na demonstração.

Estratagema 8

Suscitar a cólera do adversário, pois, encolerizado, ele não está em condições de julgar corretamente e perceber sua vantagem. Provoca-se sua cólera fazendo-lhe injustiça abertamente, assediando-o e sendo, de modo geral, insolente.

Estratagema 9

Não fazer as perguntas na ordem exigida pela conclusão a ser extraída delas, mas com todos os tipos de deslocamentos: o adversário não sabe onde queremos ir e não pode se precaver. Ou podemos utilizar suas respostas para conclusões diferentes, até opostas, conforme sua natureza. Isto está relacionado com o estratagema 4, na medida em que devemos dissimular nosso procedimento.

Estratagema 10

Quando notamos que o adversário deliberadamente dá respostas negativas para perguntas cujas afirmativas seriam necessárias para nossa tese, devemos perguntar o oposto da tese de que queremos nos servir, como se a quiséssemos ver afirmada; ou, pelo menos, devíamos lhe apresentar ambas para escolher, de forma que ele não perceba qual tese queremos que ele afirme.

Estratagema 11

Se fazemos uma indução e o adversário nos concede os casos particulares por meio dos quais ela deve ser formulada, não devemos lhe perguntar se também admite a verdade geral resultante desses casos, mas introduzi-la posteriormente como estabelecida e admitida: porque, por vezes, ele próprio acreditará tê-la admitido e o público também terá tal impressão, porque se lembrará das numerosas perguntas sobre os casos individuais, que devem ter, então, realmente conduzido ao objetivo.

Estratagema 12

Se o discurso versa sobre um conceito geral que não tem um nome próprio, mas deve ser designado tropicamente por meio de um símile, devemos escolher o símile de modo tal que favoreça nossa afirmação. Na Espanha, por exemplo, os nomes que designam os dois partidos políticos, *serviles* e *liberales*, certamente foram escolhidos por este último. O nome "protestantes" foi escolhido por estes, tal como o nome "evangélicos": mas o nome "hereges", pelos católicos. Isto se aplica aos nomes de coisas também, quando são mais apropriados: por exemplo, se o adversário propôs alguma mudança, nós a chamamos de "inovação", porque esta é uma palavra odiosa. E inversamente, se somos nós mesmos que propomos. – No primeiro caso, como expressão contrária, citamos a "ordem vigente", no segundo, "conservadorismo". – O que alguém totalmente desinteressado e apartidário chamaria de "culto" ou "doutrina pública da fé" seria chamado por quem o defende de "devoção", "piedade", mas de "fanatismo", "superstição" por um oponente. Trata-se, basicamente, de uma sutil *petitio principii*: aquilo que se quer demonstrar já é inserido na palavra, na denominação, das quais ele é, em seguida, extraído por um mero juízo analítico. O que alguém chama "privar da liberdade", "pôr sob custódia", seu adversário o chama "encarcerar". – Um orador muitas vezes trai sua intenção pelos nomes que dá às coisas. – Um diz "o clero", o outro, "os padres". Entre todos os estratagemas estes é o empregado com mais frequência, instintivamente. Fervor religioso = fanatismo. Passo em falso ou galanteria = adultério. Palavras equívocas = obscenidades. Desajuste = falência. Por influência e conexões = por subornos e nepotismo. Reconhecimento sincero = boa remuneração.

Estratagema 13

Para fazer que o adversário assuma uma tese, devemos fornecer seu contrário e deixar que ele escolha, mas temos de expressar esse contrário de modo bastante estridente, de modo que ele, para não ser paradoxal, deverá aprovar nossa tese, que, em contraste, parece totalmente provável. Por exemplo, ele deve admitir que uma pessoa tem de fazer o que seu pai lhe diz; então perguntamos: "Devemos em todas as coisas obedecer ou desobedecer aos nossos pais?" – Ou quando se diz que alguma coisa é "frequente", devemos perguntar se "frequente" significa poucos ou muitos casos: o adversário dirá "muitos". É como colocar cinza ao lado do preto, para poder chamá-lo de branco; ou ao lado do branco, para poder chamá-lo de preto.

Estratagema 14

Um truque insolente é quando, depois de o adversário responder a várias perguntas sem que suas respostas satisfaçam a conclusão que tínhamos em mente, nós apresentamos e proclamamos triunfalmente como demonstrada a conclusão que queríamos obter, embora ela não se siga daquelas respostas. Se o adversário é tímido ou estúpido, e o outro lado tem bastante descaramento e uma boa voz, isso pode muito bem ter sucesso. O estratagema pertence à *fallacia causae ut causae* [engano por assumir uma não razão como razão].

Estratagema 15

Se expusemos uma tese paradoxal e encontramos dificuldade em prová-la, então propomos ao adversário a aceitação ou rejeição de qualquer tese correta, mas não totalmente óbvia, como se quiséssemos extrair dela a demonstração: se ele a rejeita por desconfiança, nós a conduzimos *ad absurdum* e triunfamos; mas se ele a aceita, é porque, por ora, dissemos algo razoável e logo mais veremos. Ou acrescentamos o estratagema anterior e afirmamos, então, que o que foi dito demonstrou nosso paradoxo. Aqui é preciso um grau máximo de descaramento: mas a experiência mostra que isso acontece, e há pessoas que praticam tudo isso instintivamente.

Estratagema 16

Argumenta ad hominem ou *ex concessis*. Diante de uma afirmação do adversário, devemos ver se ela não está de algum modo, se necessário apenas aparentemente, em contradição com alguma coisa que ele disse ou admitiu antes, ou com os princípios de uma escola ou seita que ele elogiou e aprovou, ou com as ações dos adeptos desta seita, nem que sejam adeptos falsos ou aparentes, ou com suas próprias atitudes. Se ele defende, por exemplo, o suicídio, nós logo exclamamos: "Por que você não se enforca?" Ou se ele afirma que Berlim é um lugar de estadia desagradável, também bradamos imediatamente: "Por que você não parte com a primeira diligência?" De um modo ou de outro, escolheremos um ardil.

Estratagema 17

Se o adversário nos pressiona com uma contraprova, muitas vezes poderemos nos salvar com uma sutil distinção em que não tínhamos pensado antes, se a questão admitir um duplo significado ou um caso duplo.

Estratagema 18

Se notamos que o adversário lançou mão de uma argumentação que nos derrotará, não podemos permitir-lhe que a leve até o final, mas devemos interromper ou desviar, a tempo, o curso da disputa, e levá-lo a outras questões: em suma, proceder a uma *mutatio controversiae* (cf. estratagema 29).

Estratagema 19

Se o adversário nos pede expressamente que apresentemos alguma coisa contra um determinado ponto em sua afirmação, mas não temos nada adequado, devemos, então, levar a questão para um âmbito geral e falar contra isso. Se tivermos de dizer por que uma hipótese física particular não pode ser confiável, falaremos da natureza falaciosa do conhecimento humano e a ilustraremos com todos os tipos de exemplos.

Estratagema 20

Quando pedimos as premissas ao adversário e ele as concedeu, não precisamos pedir a conclusão, mas extraí-la nós mesmos: ainda que falte uma ou outra premissa, nós a consideramos como admitida e tiramos a conclusão. Trata-se, aqui, do emprego da *fallacia non causae ut causae*.

Estratagema 21

Ao perceber um argumento meramente aparente ou sofístico do adversário, podemos realmente refutá-lo, mostrando seu caráter insidioso e falacioso; mas é melhor opor-lhe um contra-argumento igualmente aparente e sofístico e, assim, liquidá-lo. Pois o que importa não é a verdade, mas a vitória. Se ele, por exemplo, oferece um *argumentum ad hominem*, é suficiente debilitá-lo com um contra-argumento *ad hominem* (*ex concessis*); e, de modo geral, em vez de discutir longamente sobre a verdadeira natureza da matéria, é mais rápido apresentar um *argumentum ad hominem*, se a ocasião parecer propícia.

Estratagema 22

Caso o adversário exija que admitamos alguma coisa da qual se seguiria imediatamente o problema em disputa, nós recusamos alegando que isso é uma *petitio principii*, pois é fácil que ele e os ouvintes considerem idêntica ao problema uma proposição estreitamente relacionada ao problema, e assim o privamos de seu melhor argumento.

Estratagema 23

A contradição e a disputa instigam a exagerar a afirmação. Podemos, portanto, mediante contradição, instigar o adversário a amplificar para além da verdade uma afirmação que em si mesma e nos devidos limites seria possivelmente verdadeira. E ao refutarmos este exagero, parecerá que refutamos sua tese original. Em contrapartida, nós mesmos devemos tomar cuidado para não nos deixar levar, por contradição, ao exagero ou à expansão de nossa tese. Muitas vezes, o próprio adversário tentará estender nossa afirmação além dos limites que lhe havíamos imposto: devemos detê-lo imediatamente e reconduzi-lo aos limites de nossa afirmação com um "eu só disse isso e nada mais".

Estratagema 24

Manipulação das consequências. Por meio de falsas inferências e distorção dos conceitos, retiramos à força da tese do adversário proposições que não estão nela e não correspondem em absolutamente nada à opinião do adversário, sendo, ao contrário, absurdas ou perigosas: pois agora parece que saem de sua tese proposições que se contradizem a si mesmas ou a verdades reconhecidas. Isso vale, então, como uma refutação indireta, *apagoge*; e é outra vez uma aplicação da *fallacia non causae ut causae*.

Estratagema 25

Trata-se da *apagoge* por meio de uma instância, *exemplum in contrarium*. A επαγωγη, *inductio*, requer uma grande quantidade de casos para definir seu princípio geral; para a απαγωγη, basta a apresentação de um único caso em desconformidade com o princípio geral e este é demolido: esse caso se chama instância, ενστασις, *exemplum in contrarium, instantia*. Por exemplo, a proposição "todos os ruminantes têm chifres" é derrubada pela única instância dos camelos. A instância é um caso de aplicação da verdade universal, alguma coisa a ser subsumida sob seu conceito geral, mas para a qual aquela verdade não vale e que, por isso, é completamente refutada. No entanto, aqui podem ocorrer enganos, razão pela qual temos de considerar o seguinte quando o adversário propõe instâncias: 1) se o exemplo é realmente verdadeiro; há problemas para os quais a única solução verdadeira é que o caso não é verdadeiro: por exemplo, muitos milagres, histórias de fantasmas etc.; 2) se ele realmente concerne ao conceito da verdade estabelecida: isso muitas vezes é apenas aparente, podendo ser resolvido com uma distinção precisa; 3) se ele realmente está em desacordo com a verdade estabelecida: isso também, com frequência, é apenas aparente.

Estratagema 26

Uma manobra brilhante é a *retorsio argumenti*: quando o argumento que o adversário quer usar a seu favor pode ser mais bem usado contra ele; por exemplo, ele diz: "é uma criança, é preciso relevar-lhe alguma coisa"; *retorsio*: "justamente porque é uma criança, é preciso puni-la para que não persevere nos maus hábitos".

Estratagema 27

Se o adversário se irrita inesperadamente diante de um argumento, é preciso insistir nesse argumento com mais fervor ainda: não só porque é bom enfurecê-lo, mas porque é de supor que tenhamos tocado no ponto fraco de sua linha de pensamento e que talvez devamos atacá-lo, nesse ponto, ainda mais do que podíamos crer num primeiro momento.

Estratagema 28

Este é aplicável principalmente quando pessoas cultas discutem perante ouvintes incultos. Se não temos um *argumentum ad rem*, nem mesmo um *ad hominem*, então fazemos um *ad auditores*, isto é, uma objeção inválida, mas somente o perito pode ver que não é válida. Esse perito é o adversário, mas não os ouvintes, aos olhos dos quais, portanto, ele parecerá derrotado, especialmente se a objeção, de algum modo, lança uma luz risível sobre sua afirmação. As pessoas estão sempre dispostas a rir; e teremos do nosso lado aquelas que riem. Para mostrar a nulidade da objeção, o adversário teria de realizar um longo debate e retornar aos princípios da ciência ou coisa semelhante: não encontrará ouvidos fáceis.

Exemplo: O adversário diz que, durante a formação das montanhas primitivas, a massa a partir da qual o granito e todas as rochas restantes se cristalizaram era líquida em virtude do calor, isto é, fundida – o calor devia ser de cerca de $200°$ Re – a massa cristalizou-se sob a superfície do mar que a cobria. – Aqui lançamos o *argumentum ad auditores* de que a essa temperatura, mesmo muito antes, a $80°$ Re, o mar teria fervido há muito e teria se dissipado no ar sob a forma de vapor. – O público ri. Para nos derrotar, o adversário teria de mostrar que o ponto de ebulição não depende apenas da temperatura, mas igualmente da pressão atmosférica, e esta, tão logo cerca de metade da água do mar tivesse evaporado, teria aumentado tanto que, mesmo a $200°$ Re, não ocorreria ebulição. – Mas ele não chega a tanto, pois, com não físicos, seria necessário um verdadeiro tratado.

Estratagema 29

Se percebemos que vamos ser derrotados, fazemos uma diversão: isto é, de repente começamos a falar de algo totalmente diferente, como se fosse pertinente ao assunto e constituísse um argumento contra o adversário. Isso deve acontecer com alguma discrição, quando a diversão ainda guarda alguma relação com o *thema quaestionis*; e descaradamente, quando apenas ataca o adversário e nada tem a ver com o assunto.

Por exemplo, elogiei o fato de não haver nobreza hereditária na China e de os cargos serem providos apenas após realização dos *examina*. Meu adversário afirmou que o saber capacitava para os cargos tão pouco quanto as prerrogativas de nascimento (que ele tinha em grande estima). – Em seguida, ele começou a se dar mal. Imediatamente lançou a diversão de que na China todas as classes sociais são punidas com bastonadas, fato que ele relacionou ao excessivo consumo de chá naquele país, recriminando os chineses por ambos. – Quem se deixasse levar por tudo isso teria sido desviado e perdido de suas mãos uma vitória já conquistada.

A diversão é descarada quando abandona inteiramente o assunto em debate e ataca mais ou menos assim: "Sim, mas você também disse há pouco etc." Pois ela pertence de certo modo às "ofensas pessoais", de que trataremos no último estratagema. Estritamente falando, ela é um estágio intermediário entre o *argumentum ad personam*, que será discutido lá, e o *argumentum ad hominem*. Qualquer briga entre pessoas comuns mostra como esse estratagema é, por assim dizer, inato: quando, por exemplo, um faz acusações pessoais ao outro, este não responde refutando-as, mas por acusações pessoais que ele próprio faz ao adversário, deixando intocadas as que foram feitas contra si e, por assim dizer, admitindo-as. Ele age como Cipião, que atacou os cartagineses não na Itália, mas na África. Nas guerras, tal diversão pode às vezes ser útil. Nas brigas, é ruim porque as ofensas recebidas são deixadas sem respostas e os ouvintes passam a conhecer o que há de pior em ambas as partes. Na disputa, ela pode ser usada apenas *faute de mieux* [na falta de algo melhor].

Estratagema 30

O *argumentum ad verecundiam* [argumento baseado no respeito]. Em vez de razões, precisamos de autoridades, segundo a medida dos conhecimentos do adversário. *Unusquisque mavult credere quam judicare* (todo mundo prefere crer a julgar), diz Sêneca [*De vita beata*, I, 4]; então temos um jogo fácil quando temos a nosso favor uma autoridade respeitada pelo adversário. Haverá mais autoridades válidas para ele quanto mais limitados forem seu conhecimento e habilidades. Se estes forem de primeira ordem, então haverá pouquíssimas autoridades para ele, ou praticamente nenhuma. Ele aceitará, no máximo, a de peritos numa ciência, arte ou ofício que ele pouco ou nada conhece: ainda assim, com desconfiança. Em contrapartida, as pessoas comuns nutrem profundo respeito por especialistas de qualquer tipo. Não sabem que quem faz de uma coisa profissão não ama essa coisa, mas seu salário, nem que aquele que ensina uma coisa raramente a conhece a fundo, pois quem a estuda a fundo geralmente não encontra tempo para ensinar. Mas para o *vulgus* há muitas autoridades dignas de respeito: portanto, se não dispomos de uma inteiramente adequada, tomemos uma aparentemente apropriada, citemos o que alguém disse com outro sentido, ou em outras circunstâncias. Na maioria das vezes, autoridades que o adversário não entende são as mais eficazes. Os incultos têm um respeito particular por floreios gregos e latinos. Pode-se também, se necessário, não só deturpar as autoridades, mas simplesmente falsificá-las, ou até mesmo inventá-las sem cerimônia: na maior parte das vezes, o adversário não tem o livro à mão, nem saberia consultá-lo se o tivesse. A melhor ilustração disso é o do cura francês que, para não pavimentar a rua na frente de sua casa, como os outros cidadãos, citou um dito bíblico: *paveant illi, ego non pavebo* [Que eles tremam, eu não tremerei]. Isso convenceu os administradores municipais. Preconceitos gerais podem ser usados como autoridades. Porque a maioria das pessoas pensa com Aristóteles: ά μεν πολλοις δοκει ταυτα γε εινειφάμεν [O que parece justo a uma multidão, dizemos que é]: não há uma só opinião, por absurda que seja, que as pessoas não tornem sua com facilidade, tão logo tenham sido convencidas de que ela é geralmente aceita. O exemplo atua tanto sobre seu pensamento como sobre sua conduta. São ovelhas que seguem o carneiro-guia aonde quer que ele as leve: para elas é mais fácil morrer do que pensar. É muito curioso que a universalidade de uma opinião tenha tanto peso para elas, que poderiam ver por si mesmas que opiniões são aceitas totalmente sem discernimento e apenas em virtude do exemplo. Mas elas não veem isso, porque lhes falta qualquer consciência de si. Só os seletos dizem com Platão: τοις πολλοις πολλα δοκει [Os muitos têm muitas opiniões], isto é, o *vulgus* tem muitas bobagens em sua cabeça, e se lhes fôssemos dar atenção, teríamos muito o que fazer. Falando a sério, a generalidade de uma opinião não é nenhuma prova, nem mesmo um motivo de probabilidade de sua exatidão. Aqueles que afirmam isso devem aceitar: 1) que a distância no tempo priva essa generalidade de força demonstrativa, pois caso contrário teriam de reabilitar todos os velhos erros que uma vez foram universalmente tidos como verdadeiros: por exemplo, teriam de restaurar o sistema de Ptolomeu, ou reestabelecer o catolicismo em todos os países protestantes; 2) que a distância no espaço produz o mesmo: caso contrário, a universalidade de opinião dos que professam o budismo, o cristianismo e o islamismo lhes causará embaraço (J. Bentham, *Tactique des assemblées législatives*. vol. II. p. 76).

O que se chama opinião geral é, se bem considerado, a opinião de duas ou três pessoas; e nos convenceríamos disso, se pudéssemos observar como nasce uma tal opinião universalmente válida. Descobriríamos, então, que foram duas ou três pessoas que primeiramente a aceitaram, apresentaram e afirmaram e que os outros tiveram a benevolência de confiar que elas a haviam examinado a fundo: prejulgando a suficiente capacidade destes, alguns outros primeiramente a aceitaram. E nesses acreditaram muitos outros, cuja indolência lhes aconselhou melhor crer de uma vez do que buscar comprovações fatigantes. Assim cresceu dia a dia o número de tais adeptos preguiçosos e crédulos: pois como a opinião já tinha um bom número de vozes a seu favor, os apoiadores posteriores atribuíram isso ao fato de que ela só teria podido obtê-las pela validade de seus fundamentos. Os remanescentes se viram, então, obrigados a admitir o que era geralmente admitido, para não passar por cabeças inquietas que se rebelaram contra opiniões universalmente válidas e por sujeitos impertinentes querendo ser mais inteligentes que o mundo todo. A essa altura, o consentimento se tornou obrigatório. Daí em diante, os poucos capazes de julgar são forçados a se calar; e os que podem falar são aqueles que são completamente incapazes de ter opiniões e um juízo próprios, sendo o mero eco da opinião alheia. No entanto, estes são defensores tanto mais zelosos e intolerantes dela. Pois o que odeiam em quem pensa de outro modo não é tanto a opinião diferente que este professa, mas a presunção de querer julgar por si, algo que eles mesmos nunca fazem, mas de que são cientes em seu foro íntimo. – Em suma, pensar é para muito poucos, mas opiniões todos querem ter: o que resta senão adotá-las de outros totalmente prontas, em vez de formá-las eles próprios? – Se as coisas são assim, quanto vale a voz de centenas de milhões de pessoas? Tanto quanto, por exemplo, um fato histórico, encontrado em cem historiadores, que, como se prova depois, foi copiado uns dos outros, pelo que, por fim, tudo acaba sendo reconduzido à afirmação de um só indivíduo (Bayle, *Pensées sur les Comètes*. Vol. I, p. 10).

> *Dico ego, tu dicis, sed denique dixit et ille:*
> *Dictaque post toties, nil nisi dicta vides.*

> [Eu digo, tu dizes e, no fim, o diz também ele: Depois que o disseram tantas vezes, não se vê outra coisa a não ser o que foi dito.]

Não obstante, quando se discute com pessoas comuns, pode-se usar a opinião geral como autoridade. Em geral, descobriremos que, quando duas cabeças comuns discutem entre si, a arma que ambas escolhem são autoridades, com as quais se golpeiam mutuamente. – Se uma cabeça melhor tem de lidar com tais pessoas, o mais aconselhável é que ela também se adapte a tal arma e a escolha segundo os pontos fracos de seu adversário. Porque, contra a arma das razões, esta é, *ex hypothesi*, um Siegfried de chifres, imerso na maré da incapacidade de pensar e raciocinar. No tribunal, disputa-se realmente apenas com autoridades: a autoridade da lei, que está firmemente estabelecida: compete à faculdade do juízo encontrar a lei, isto é, a autoridade que terá aplicação no caso dado. Mas a dialética tem espaço de manobra suficiente para que, se necessário, o caso concreto e uma lei que na realidade não estão em conformidade entre si sejam retorcidos até serem considerados concordantes: e vice-versa.

Estratagema 31

Quando não sabemos o que opor às razões expostas pelo adversário, podemos, com fina ironia, nos declarar incompetentes: "O que você está dizendo supera minha fraca capacidade de compreensão: pode até estar correto, mas não consigo entendê-lo e renuncio a todo julgamento". – Desse modo, insinuamos ao público, que nos tem em consideração, que se trata de algo absurdo. Assim que apareceu a *Crítica da razão pura*, ou melhor, quando esta começou a causar sensação, muitos professores da velha escola eclética declararam "não entendemos isso" e acreditavam, assim, ter encerrado o assunto. – Mas quando alguns defensores da nova escola lhes mostraram que eles estavam certos e realmente não haviam entendido nada, eles ficaram de muito mau humor.

Esse estratagema deve ser utilizado apenas quando se está seguro de ter mais estima do que o adversário aos olhos dos ouvintes: por exemplo, quando se opõem professor e aluno. Na verdade, este método faz parte do estratagema anterior e é uma maneira especialmente maliciosa de fazer valer nossa própria autoridade, em vez de fornecer razões. A jogada oposta seria: "Permita-me dizer que, com sua grande capacidade de penetração, deve ser muito fácil compreender isso, e o único culpado aqui é minha pífia apresentação", e depois esfregar-lhe a questão no nariz de tal modo que ele tenha de entendê-la *nolens volens* e perceba que realmente não a compreendera antes. – Assim o argumento foi retrucado: ele queria insinuar "absurdo" de nossa parte; nós provamos sua "incompreensão". Ambos com a mais refinada cortesia.

Estratagema 32

Uma maneira rápida de eliminar ou ao menos tornar suspeita uma afirmação do adversário que nos seja contrária é a de colocá-la sob uma categoria odiada, ainda que tenha apenas uma semelhança com esta ou uma vaga relação – por exemplo, "isso é maniqueísmo; é arianismo; é pelagianismo; é idealismo; é espinozismo; é panteísmo; é brownianismo; é naturalismo; é ateísmo; é racionalismo; é espiritualismo; é misticismo etc."– Ao fazer isso, supomos duas coisas: 1) que aquela afirmação é realmente idêntica com essa categoria, ou pelo menos está contida nela, e então exclamamos: "Ah, mas isso não é novidade para ninguém!"; e 2) que essa categoria já foi completamente refutada e não poderia conter uma palavra de verdade sequer.

Estratagema 33

"Isso pode ser verdade em teoria; na prática, é falso". – Por meio deste sofisma, admitimos os fundamentos, mas negamos as consequências, em contradição com a regra *a ratione ad rationatum valet consequentia* [da razão ao seu efeito vige a consequencialidade]. – Aquela afirmação é uma impossibilidade: o que é verdadeiro na teoria deve sê-lo também na prática; se não o é, então há um erro na teoria, algo foi esquecido e não foi levado em conta; por consequência, a teoria também é falsa.

Estratagema 34

Se o adversário não dá uma resposta ou informação direta a uma pergunta ou argumento, mas se esquiva por meio de outra pergunta ou uma resposta indireta, ou mesmo de algo sem relação alguma com o assunto em discussão, pretendendo falar de outra coisa, isso é um sinal claro de que nós (às vezes, sem saber) tocamos um ponto fraco: é um relativo emudecimento de sua parte. É preciso, pois, insistir nesse ponto e não deixar o adversário em paz, mesmo quando ainda não vemos em que consiste realmente a fraqueza que tínhamos tocado.

Estratagema 35

Este estratagema, tão logo seja praticável, deixa todos os outros supérfluos: em vez de agir sobre o intelecto por meio de razões, agimos sobre a vontade por meio de motivações, e o adversário, tanto quanto os ouvintes, caso tenham o mesmo interesse que ele, são logo conquistados para nossa opinião, mesmo que ela seja tomada de empréstimo do manicômio: pois, quase sempre, meia onça de vontade pesa muito mais do que um quintal de perspicácia e convicção. Claro, ele funciona apenas em circunstâncias especiais. Podemos fazer o adversário notar que sua opinião, se fosse válida, provocaria um dano considerável a seu interesse, de modo que a soltará tão rápido como se fosse um ferro quente que tivesse pego por descuido. Por exemplo, um religioso defende um dogma filosófico: nós o fazemos notar que está indiretamente em contradição com um dogma básico de sua Igreja, e ele o abandonará.

Um proprietário de terras afirma a excelência da maquinaria na Inglaterra, onde uma máquina a vapor faz o trabalho de muitas pessoas: damos a entender que em breve as carruagens também logo serão puxadas por máquinas a vapor, o que fará desabar o preço dos cavalos de seus inúmeros haras – e veremos como ele se comporta. Nesses casos, o sentimento de cada um geralmente é: "*Quam temere in nosmet legem sancimus iniquam*" [que temeridade sancionar uma lei que vai contra nós mesmos]. Isto também ocorre quando os ouvintes, mas não o adversário, pertencem à mesma seita, guilda, ofício, clube etc. que nós. Por mais correta que seja sua tese, tão logo insinuemos que ela contraria o interesse comum daquela guilda etc., todos os ouvintes acharão os argumentos do adversário fracos e patéticos, ainda que sejam excelentes, e os nossos justos e pertinentes, ainda que sejam pura invenção, teremos um coro em alto e bom som a nosso favor, e o adversário deixará o campo envergonhado. De fato, os ouvintes, quase sempre, acreditarão ter assentido por convicção. Pois o que nos é desfavorável geralmente parece absurdo ao intelecto. *Intellectus luminis sicci non est recipit infusionem a voluntate et affectibus* [O intelecto não é uma luz que arde sem óleo, mas é nutrido pela vontade e pelas paixões]. Este estratagema poderia ser referido como "atacar a árvore pelas raízes": geralmente é chamado *argumentum ex utili*.

Estratagema 36

Aturdir, desconcertar o inimigo com um palavreado sem sentido. Isso repousa no fato de que "habitualmente o homem crê, ao ouvir apenas palavras, que ali também deve haver matéria para reflexão".

Se ele está secretamente consciente de sua própria fraqueza, se está acostumado a ouvir muitas coisas que não entende e ainda agir como se entendesse, podemos impressioná-lo dizendo com semblante sério um disparate que soe erudito ou profundo, diante do qual ele perderá a capacidade de ouvir, ver e pensar, e fazendo-o passar pela prova mais indiscutível de nossa própria tese. Como se sabe, em tempos recentes alguns filósofos aplicaram esse estratagema, com o mais brilhante êxito, perante todo o público alemão. Mas como se trata de *exempla odiosa*, tomaremos um exemplo mais antigo de Goldsmith, *The Vicar of Wakefield*:

– Certo, Frank – gritou o escudeiro –, que eu engasgue com esse copo se uma bela moça não vale mais que todos os clérigos da criação. O que são seus dízimos e truques senão uma imposição, um embuste diabólico, e posso prová-lo.

– Eu queria que você provasse – gritou meu filho Moisés – e penso, continuou ele, que eu estaria em condição de contestá-lo.

– Muito bem, senhor – gritou o escudeiro, troçando dele e piscando para nós a fim de que nos preparássemos para a brincadeira –, se quer argumentar friamente sobre esse assunto, estou pronto para aceitar o desafio. E primeiramente, como discutiremos: de forma analógica ou dialógica?

– Sou a favor de uma discussão racional – respondeu Moisés, bastante feliz por ter encontrado uma oportunidade para disputar.

– Bom – disse o escudeiro – e, em primeiro lugar, o que vem primeiro? Eu espero que não negue que tudo o que é, é. Se você não me conceder isso, não posso seguir adiante.

– Por quê? – respondeu Moisés – Acho que posso conceder isso e tirar grande vantagem.

– Assim espero também – devolveu o outro –, você concederá que uma parte é menor do que o todo.

– Também concedo isso – respondeu Moisés –, é algo correto e razoável.

– Espero – disse o escudeiro – que não negue que os três ângulos de um triângulo são iguais a dois retos.

– Nada poderia ser mais claro – retrucou o outro, olhando ao redor com sua habitual importância.

– Muito bem – bradou o escudeiro, falando muito rápido –, estando as premissas assim estabelecidas, passo para a observação de que a concatenação de existências próprias, progredindo numa proporção duplicada recíproca, produz naturalmente um dialogismo problemático, que em certa medida prova que a essência da espiritualidade pode ser referida ao segundo *praedicabile*.

– Alto lá – bradou o outro –, eu nego isso. Acha, então, que vou me submeter docilmente a doutrinas tão heterodoxas?

– O quê?! – respondeu o escudeiro, simulando aborrecimento. – Não submeter-se?! Responda-me uma pergunta simples: Você acha que Aristóteles está certo quando diz que os relativos estão relacionados?

– Sem dúvida – respondeu o outro.

– Se é assim – disse o escudeiro – responda-me diretamente ao que proponho: Você julga a investigação analítica da primeira parte de meu entimema deficiente *secundum quoad*, ou *quoad minus*, e me dê suas razões: eu digo, razões diretas.

– Eu protesto – exclamou Moisés –, não compreendo corretamente o que seu raciocínio pretende provar; mas se ele for reduzido a uma proposição simples, acho que pode encontrar uma resposta.

– Ó, meu senhor – respondeu o escudeiro –, sou seu humilde servo, mas noto que você quer que eu lhe forneça argumentos e intelecto também. Não, senhor, protesto, suas pretensões são muito difíceis para mim.

Isso provocou uma sonora risada contra o pobre Moisés, o único de semblante infeliz num grupo de caras alegres; não pronunciou mais uma única sílaba durante toda a conversação [do cap. VII].

Estratagema 37

(Que deveria ser um dos primeiros.) Se o adversário tem razão na questão, mas felizmente escolhe uma má prova, conseguimos facilmente refutar esta prova e depois fazemos passá-la por uma refutação de toda a questão. No fundo, isso se reduz ao fato de um *argumentum ad hominem* ser apresentado como um *ad rem*. Se não lhe ocorre, ou a nenhum de seus assistentes, uma prova mais exata, nós então saímos vitoriosos. – Por exemplo, quando alguém, para provar a existência de Deus, apresenta o argumento ontológico, que é bastante refutável. Esta é a maneira como maus advogados perdem uma boa causa: querem justificá-la com uma lei que não lhe é adequada, e a adequada não lhes ocorre.

Último estratagema

Quando percebemos que o adversário é superior e não conseguiremos ter razão, nós então nos tornamos pessoais, ofensivos, grosseiros. Tornar-se pessoal consiste em abandonar o objeto da disputa (porque se trata de um jogo perdido) e atacar de alguma maneira o adversário, sua pessoa: este poderia ser chamado *argumentum ad personam*, para diferenciá-lo do *argumentum ad hominem*, que parte do objeto puramente objetivo, para ater-se ao que o adversário disse ou admitiu a seu respeito. Na pessoalização, abandonamos o objeto por completo e dirigimos o ataque contra a pessoa do adversário, tornando-nos ofensivos, maldosos, abusivos, grosseiros. É um apelo das forças do intelecto às do corpo, ou à animalidade. Esta regra é muito apreciada, pois todo mundo é capaz de aplicá-la, sendo, portanto, utilizada com frequência. Cabe agora perguntar qual contrarregra seria válida para a outra parte. Porque se ela quiser usar a mesma regra, haverá briga ou um duelo ou um processo por injúria. Seria um grave erro pensar que é suficiente não passarmos nós mesmos para o ataque pessoal. Porque ao mostrarmos com toda serenidade que o outro está errado e, portanto, julga e pensa falsamente, o que é o caso com qualquer vitória dialética, nós o exasperamos mais do que mediante uma expressão grosseira, ofensiva. Por quê? Porque como diz Hobbes, em *De Cive*, cap. 1:

> *Omnis animi voluptas, omnisque alacritas in eo sita est, quod quis habeat, quibuscum conferens se, possit magnifice sentire de seipso.*

> [Todo prazer de ânimo e toda alegria reside em haver pessoas em comparação com as quais podemos ter alta estima de nós mesmos.]

Nada supera para o homem a satisfação de sua vaidade e nenhuma ferida dói mais do que aquela que golpeia esta vaidade. (Daí frases como "a honra vale mais do que a vida" etc.) Esta satisfação da vaidade surge principalmente da comparação de si mesmo com os outros, em todos os aspectos, mas principalmente em relação às capacidades intelectuais. Isso ocorre de modo eficaz e bastante intenso justamente na disputa. Daí a amargura do vencido, sem que nenhuma injustiça tenha sido cometida contra ele, e daí seu recurso a este último estratagema do qual não podemos nos esquivar com mera polidez. No entanto, uma grande dose de sangue-frio pode ajudar aqui também, se respondermos tranquilamente, assim que o adversário partir para os ataques pessoais, que isso não pertence ao objeto em questão e retornarmos a esta e continuarmos a provar que ele está errado, sem atender a seus insultos, mais ou menos como Temístocles diz a Euribíades: πάταξον μέν, ἄκουσον δέ [golpeia-me, mas me escuta]. Mas isto não está ao alcance de todos.

A única contrarregra segura é a que Aristóteles já fornece no último capítulo de *Tópicos*: Não discutir com o primeiro que aparecer, mas apenas com aqueles que conhecemos e dos quais sabemos que têm entendimento suficiente para não apresentar algo demasiado absurdo e passar vergonha por isso; e discutir com a razão, não com palavras autoritárias, ouvir as razões e a elas se submeter; por fim, pessoas que apreciam a verdade, gostam de ouvir boas razões, mesmo da boca do adversário, e tenham equanimidade suficiente para suportar que estão errados quando a verdade está do outro lado. Segue-se que entre cem dificilmente se encontra um que é digno de que disputemos com ele. Quanto aos demais, deixemos que digam o que quiserem pois *desipere est juris gentium* [ser idiota é um direito humano] e pensemos no que diz Voltaire: *La paix vaut encore mieux que la vérité* [A paz vale mais que a verdade]; e um provérbio árabe afirma: "Da árvore do silêncio pende o fruto da paz".

Em todo caso, a disputa, como atrito de cabeças, é mutuamente benéfica para corrigir os próprios pensamentos e também para criar novos pontos de vista. Mas ambos os disputantes devem ser similares em erudição e inteligência. Se algum carece da primeira, então não entende tudo, não está *au niveau*. Se lhe falta a segunda, a amargura daí resultante irá levá-lo à desonestidade e truques ou à grosseria.

Não há diferença essencial entre a disputa *in colloquio privato sive familiari* e a *disputatio sollemnis publica, pro gradu*. Apenas no caso da segunda é necessário que o *Respondens* sempre deva ter razão contra o *Opponens* e que, portanto, o *praese* [presidente] o ajude se necessário; ou ainda, nesta última, argumenta-se mais formalmente, os argumentos são revestidos na forma silogística rigorosa.

Apêndice

Fragmento I

Lógica e dialética[14] já eram utilizadas como sinônimos pelos antigos, embora λογίζεσθαι, repensar, refletir, calcular, e διαλέγεσθαι, conversar, sejam coisas bastante diferentes. Platão (como relata Diógenes Laércio) foi o primeiro a usar o termo dialética (διαλεκτικη, διαλεκτικη πραγματεια [tratado dialético], διαλεκτικος ανερ [homem dialético]): e constatamos que, em *Fedro*, *O sofista* e *A República*, Livro VII etc., ele entende por dialética o uso regular da razão e o ser proficiente nela. Aristóteles emprega τα διαλεκτικα no mesmo sentido; mas, segundo Lorenzo Valla, ele primeiramente usou λογικη no mesmo sentido: encontramos nele λογικας δυσχερειας, isto é, *argutias* [dificuldades lógicas], προτασιν λογικην [premissas lógicas], αποριαν λογικην [aporia lógica]. – Deste modo, o termo διαλεκτικη seria mais antigo do que λογικη. Cícero e Quintiliano usam *dialectica* e *logica* no mesmo sentido geral. Cícero diz em *Lucullo*: *Dialecticam inventam esse, veri et falsi quasi disceptatricem.* [A dialética foi inventada para decidir entre o verdadeiro e o falso.] *Stoici enim judicandi vias diligenter persecuti sunt, ea scientia, quam Dialecticen appellant.* [Os estoicos perseguiram diligentemente os métodos do julgar, com auxílio daquela ciência que chamam de dialética.] (Cícero, *Topica*, cap. 2). – Quintiliano: *itaque haec pars dialecticae, sive illam disputatricem dicere malimus* [daí vem esta parte da dialética, ou como preferimos dizer, arte da disputa]:

esta última parece ser para ele, portanto, o equivalente latino de διαλεκτικη (Tudo isso segundo *Petri Rami dialectica, Audomari Talaei pralectionibus illustrata*, 1569). Este uso dos termos lógica e dialética como sinônimos também foi mantido na Idade Média e na época moderna, até hoje. No entanto, em tempos recentes, "dialética" tem sido muitas vezes usada, especialmente por Kant, num sentido pejorativo como "arte sofística da disputa" e, por isso, tem-se preferido a designação mais inocente "lógica". No entanto, ambas significam originalmente a mesma coisa, e nos últimos anos elas também voltaram a ser vistas como sinônimos.

Fragmento II

É uma pena que "dialética" e "lógica" sejam usadas como sinônimos desde tempos mais antigos e que, por isto, eu não me encontre inteiramente livre para separar seus significados como gostaria e definir "lógica" (λογιζεσθαι, repensar, calcular – de λόγος, palavra e razão, que são inseparáveis) como "a ciência das leis do pensamento, isto é, da maneira de proceder da razão" – e a dialética (de διαλεγεσθαι, conversar: mas toda conversação comunica ou fatos ou opiniões, ou seja, é histórica ou deliberativa), como "a arte de disputar" (entendendo essa palavra no sentido moderno). – Evidentemente, portanto, a lógica tem um objeto puramente *a priori*, determinável sem interferência da experiência: as leis do pensamento, o proceder da razão (do λόγος), um proceder que esta segue se deixada por conta própria e sem perturbação, portanto, na reflexão solitária de um ser racional, que não é induzido a erro por nada. A dialética, ao contrário, trataria da comunhão de dois seres racionais, que consequentemente pensam juntos, o que, tão logo eles não concordem como dois relógios sincronizados, se torna uma disputa, isto é, uma luta intelectual. Se fossem razão pura, os dois indivíduos deveriam concordar. Suas divergências derivam da diversidade, que é essencial à individualidade, e são, portanto, um elemento empírico. A lógica, ciência do pensamento, isto é, o procedimento da razão pura, seria, portanto, inteiramente construível *a priori*; a dialética, em grande parte, apenas *a posteriori* a partir do conhecimento empírico das perturbações que o pensamento puro sofre por causa da diversidade das individualidades quando dois seres racionais pensam junto, e por causa dos meios que os indivíduos empregam um contra o outro, cada um no intuito de fazer valer seu pensamento pessoal como o pensamento puro e objetivo. Pois a natureza humana implica que, quando há um pensar em comum, διαλεγεσθαι, isto é, uma comunicação de opiniões (excluindo as discussões históricas), A se dá conta de que os pensamentos de B sobre o mesmo objeto são diferentes dos seus e não revisa primeiramente seu próprio pensamento para encontrar o erro, mas pressupõe que este se encontra no pensamento alheio: isto é, o ser humano, por natureza, quer ter razão; e o que resulta desta característica é o que ensina a disciplina que eu gostaria de denominar dialética, mas que, para evitar mal-entendido, eu chamarei de "dialética erística". Ela seria, portanto, a doutrina de como procede a pretensão de sempre ter razão, que é natural ao homem.

Notas

1. De modo geral, os antigos empregavam lógica e dialética como sinônimos. Os modernos também.

2. Erística seria apenas uma palavra mais dura para a mesma coisa. Aristóteles (Diógenes Laércio, V, 28) reúne retórica e dialética, cujo objetivo é a persuasão, το πιθανον; e ainda analítica e filosofia, cujo objetivo é a verdade. Διαλεκτική δέ έστι τέχνη λόγων, δι ής ανασκευαζομεν τι η κατασκευάζομεν εξ ερωτησεως και αποκρισεως των προσδιαλεγομενων [A dialética é uma arte do discurso, por meio da qual refutamos alguma coisa ou a afirmamos com provas, e precisamente mediante perguntas e respostas dos interlocutores] (Diógenes Laércio, III, 48 em *Vita Platonis*). Aristóteles distingue: 1) a lógica ou analítica como teoria ou instrução para chegar às conclusões verdadeiras, as conclusões apodíticas; 2) a dialética ou instrução para chegar às conclusões válidas como verdadeiras, correntemente tidas por verdadeiras – ενδοξα, *probabilia* (*Tópicos*, I, 1 e 12) –, sem que se estabeleça que elas são falsas, nem que são verdadeiras (em si e por si), pois não é isto o que conta. Mas o que é isso senão a arte de ter razão, pouco importando se, no fundo, nós a temos ou não? Portanto, a arte de alcançar a aparência da verdade sem preocupação com o objeto em debate. Daí, como se disse no início, Aristóteles distingue, de fato, as conclusões em lógicas, dialéticas, como foi indicado há pouco, e depois em 3) erísticas (a erística), em que a forma final é correta, mas as proposições mesmas, a matéria, não são verdadeiras, mas apenas parecem verdadeiras, e, por fim, 4) em sofísticas (a sofística), em que a forma final é falsa, mas parece verdadeira. Todos os três tipos anteriores pertencem, propriamente, à dialética erística, porque visam não à verdade objetiva, mas à sua aparência, sem preocupação com ela; visam, portanto, a ter sempre razão. Além disso, o livro

sobre as conclusões sofísticas só foi editado mais tarde: foi o último livro da dialética.

3. Maquiavel prescreve ao príncipe aproveitar todo momento de fraqueza de seu vizinho para atacá-lo, pois, do contrário, este pode um dia aproveitar-se de um momento em que aquele está fraco. Se imperassem fidelidade e honestidade, a situação seria diferente, mas, como não podemos contar com elas, não devemos praticá-las, porque são mal recompensadas. O mesmo se passa com a disputa: se dou razão ao adversário tão logo ele pareça ter razão, ele dificilmente fará o mesmo quando a situação se inverter; ele agirá, antes, *per nefas*: é assim que devo proceder também. É fácil dizer que devemos perseguir apenas a verdade sem predileção por nossa própria tese; mas não devemos pressupor que o outro o fará: portanto, tampouco nós devemos fazê-lo. Além disso, se eu quisesse, tão logo ele pareça ter razão, abandonar minha tese que examinei a fundo previamente, pode facilmente acontecer que eu, desviado por uma impressão momentânea, renuncie à verdade para acolher o erro.

4. *Doctrina sed vim promovet insitam.*

5. Por outro lado, em seu livro *De elenchis sophisticis*, ele volta a se empenhar bastante em separar a dialética da sofística e da erística: a diferença consistiria em que as conclusões dialéticas são verdadeiras em forma e conteúdo, ao passo que são falsas as erísticas ou sofísticas (que se distinguem apenas pelo objetivo, sendo o das primeiras [a erística] o ter razão; e o das últimas [a sofística] são o prestígio a obter por meio delas e o dinheiro a ganhar por meio deste). Saber se as proposições são verdadeiras quanto ao conteúdo é algo sempre muito incerto para que se possa extrair delas um critério distintivo; e aquele que disputa é o que tem menos condição de estar completamente certo a esse respeito: até mesmo o resultado da disputa fornece apenas uma informação imprecisa sobre esse ponto. Devemos, portanto, incluir na dialética de Aristóteles a sofística, a erística e a peirástica e defini-la como a arte de ter razão na disputa. Aqui, sem dúvida, o melhor auxílio é, antes de tudo, realmente ter razão na questão debatida, mas, dada a mentalidade dos homens, isto por si não é suficiente e, dada a fraqueza de seu entendimento, tampouco é absolutamente necessário. São

necessários, portanto, outros estratagemas que, justamente por serem independentes do ter razão objetivamente, também podem ser usados quando estamos objetivamente errados: e jamais podemos saber com inteira certeza se é este o caso. – Meu ponto de vista, portanto, é que a dialética deve ser separada da lógica mais nitidamente do que fez Aristóteles, deixando para a lógica a verdade objetiva, na medida em que ela é formal e restringindo a dialética a ter razão; mas não seria necessário separar a dialética da sofística e da erística como fez Aristóteles, pois essa diferença repousa na verdade objetiva material, sobre a qual não podemos ter clara certeza de antemão. Em vez disso, somos forçados a dizer com Pôncio Pilatos: o que é a verdade? – pois *veritas est in puteo*: εν βυθῷ ἡ αληθεια [A verdade está nas profundidades]: máxima de Demócrito (Diógenes Laércio, IX, 72). É fácil dizer que, numa discussão, não devemos buscar senão a promoção da verdade, só que ainda não sabemos onde ela se encontra: somos extraviados pelos argumentos do adversário e pelos nossos próprios. – De resto, *re intellecta, ira verbis simas faciles* [Entendido bem o assunto, sejamos claros nas palavras]: como há o costume de considerar o nome dialética em geral como sinônimo de lógica, chamaremos nossa disciplina *dialectica eristica*, dialética erística.

6. É preciso, sempre, separar cuidadosamente o objeto de uma disciplina do de outras.

7. Mas os conceitos podem ser subsumidos sob certas classes, como gênero e espécie, causa e efeito, propriedade e seu oposto, posse e privação etc.; e para essas classes valem algumas regras gerais: elas são os *loci*, τοποι. – Por exemplo, um *locus* de causa e efeito é: "a causa da causa é causa do efeito" [Christian Wolff, *Ontologia*, § 928]; sua aplicação: "a causa de minha felicidade é minha riqueza: portanto, aquilo que me deu riqueza também é causa de minha felicidade". *Loci* de opostos: 1) Eles se excluem mutuamente, por exemplo, reto e torto. 2) eles estão no mesmo sujeito. Por exemplo, se a amor tem sua sede na vontade (επιθυμητικον), o ódio também. Mas se este tem sede no sentimento (θυμοειδες), então o amor também. – Se a alma não pode ser branca, então também não pode ser preta. 3) se falta o nível inferior, também falta o superior: se um homem não é justo, então também não

é benevolente. – Daqui se pode ver que os *loci* são certas verdades gerais que dizem respeito a classes inteiras de conceitos, aos quais podemos retroceder em casos individuais que se apresentam, para extrair deles nossos argumentos, e também para recorrer a eles como universalmente evidentes. No entanto, a maioria dos *loci* é enganadora e submetida a muitas exceções; por exemplo, um *locus* é: coisas opostas têm relações opostas; por exemplo, a virtude é bela, o vício é feio. A amizade é benevolente, a inimizade, malevolente. – Mas: o desperdício é um vício, então a avareza é uma virtude; loucos dizem a verdade, então os sábios mentem: isso não funciona. A morte é perecimento, então a vida é nascimento: falso. Exemplo do caráter enganoso de tais *topi*: Escoto Erígena no livro *De praedestinatione* (cap. 3) quer refutar os hereges que supunham em Deus duas *praedestinationes* (uma dos eleitos para a salvação, outra dos réprobos para a danação) e utilizou para esse objetivo o seguinte *topus* (tirado só Deus sabe de onde): "*Omnium, quae sunt inter se contraria, necesse est eorum causas inter se esse contrarias; unam enim eamdemque causam diversa, inter se contraria efficere ratio prohibet*". [Todas as coisas que se opõem necessitam de causas opostas, pois a razão proíbe que uma única e mesma causa provoque efeitos diferentes e contrários entre si.] Bem! – mas *experientia docet* [a experiência ensina] que o mesmo calor endurece a argila e amolece a cera, e centenas de coisas semelhantes. E, no entanto, o *topus* soa plausível. Sobre esse *topos* Escoto constrói tranquilamente sua demonstração, que não nos interessa mais. – Bacon de Verulâmio reuniu toda uma coletânea de *loci* com suas refutações sob o título *Colores boni et mali*. Serão utilizados aqui como exemplos. Ele os chama de *sophismata*. Também se pode considerar um *locus* o argumento pelo qual Sócrates, em *O banquete*, prova o contrário a Agatão, que havia atribuído ao amor todas as qualidades excelentes, beleza, bondade etc. "Buscamos o que não temos: ora, o amor busca o belo e o bom; portanto, ele não os tem". Há um pouco de plausibilidade em pensar que há certas verdades gerais aplicáveis a tudo e pelas quais, portanto, poderíamos decidir todos os casos individuais que se apresentam, por mais heterogêneos que sejam, sem nos aprofundarmos em suas especificidades. (A lei da compensação é um *locus* muito bom). Só que isso é impossível, justamente porque os conceitos nasceram pela abstração das diferenças e compreendem, portanto, as coisas mais diversas, que reaparecem quando, por meio dos conceitos, as coisas singulares dos mais diferentes tipos são relacionadas e se decide apenas de acordo com os conceitos superiores. Pode-se até mesmo dizer que é natural ao homem, quando encurralado numa disputa, salvar-se por trás de algum *topus* geral. *Loci* são também a *lex parsimoniae naturae* [lei de economia da natureza]; – também: *natura nihil facit frustra* [a natureza não faz nada em vão]. – De fato, todos os provérbios são *loci* com tendência prática.

8. Com frequência, duas pessoas discutem muito vivamente; depois, vai cada uma com a opinião da outra para casa: fizeram uma troca.

9. Segundo Diógenes Laércio, entre os inúmeros escritos retóricos de Teofrasto que se perderam por completo, havia um intitulado ‘Αγωνιστικον της περι τους εριστικους λογους θεωριας. Esse seria nosso assunto.

10. Se ela contradiz uma verdade totalmente incontestável, então teremos reduzido o adversário *ad absurdum*.

11. Os casos deliberadamente inventados não são sutis o suficiente para serem enganosos; eles devem, portanto, ser colhidos de nossa própria experiência real. Seria muito bom poder dar a cada estratagema um nome conciso e certeiro, por meio do qual, em momento oportuno, pudéssemos rejeitar instantaneamente o uso deste ou daquele estratagema.

12. *Sophisma a dicto secundum quid ad dictum simpliciter*. Este é o segundo *elenchus sophisticus* de Aristóteles: εξω της λεξεως: – το απλως, η μη απλως, αλλα πη η που, η ποτε, η προς τι λεγεσθαι (*Refutações sofísticas*, 5).

13. Pertence ao anterior.

14. Este é o verdadeiro início da dialética.

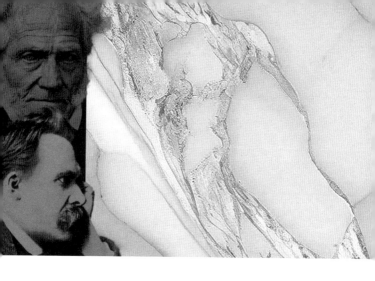

Veja outros livros do selo *Vozes de Bolso* pelo site

livrariavozes.com.br/colecoes/vozes-de-bolso

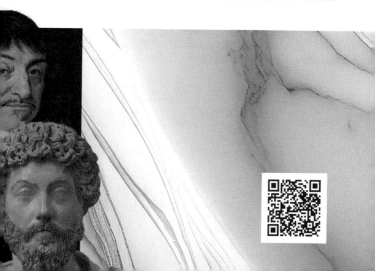

Conecte-se conosco:

f   facebook.com/editoravozes

◉   @editoravozes

𝕏   @editora_vozes

▶   youtube.com/editoravozes

☎   +55 24 2233-9033

www.vozes.com.br

Conheça nossas lojas:

www.livrariavozes.com.br

Belo Horizonte – Brasília – Campinas – Cuiabá – Curitiba
Fortaleza – Juiz de Fora – Petrópolis – Recife – São Paulo

EDITORA VOZES LTDA.
Rua Frei Luís, 100 – Centro – Cep 25689-900 – Petrópolis, RJ
Tel.: (24) 2233-9000 – E-mail: vendas@vozes.com.br